haas

mus

toos

De verhalen in de serie *top* zijn geschreven op het laagste AVI-niveau en daarmee geschikt als eerste boeken om zelf te lezen. Door de leuke, grappige of beetje spannende verhalen met prachtige illustraties vormt de *top*-serie een mooie overgang van prentenboeken naar leesboeken. Veel leesplezier!

STICHTING NEDERLANDSE
KINDERJURY
2009

LEES**N!VEAU**

		ME	ME	ME	ME	ME	
AVI	S	3	4	5	6	7	P
CLIB	S	3	4	5	6	7	8	P

bos | dieren | zoeken

Toegekend door Cito i.s.m. KPC Groep

© 2008 Educatieve uitgeverij Maretak, Postbus 80, 9400 AB Assen

Tekst: Henk Hokke
Illustraties: Mark Janssen
Vormgeving: Gerard de Groot
ISBN 978-90-437-0349-9
NUR 140
AVI START

de bal van toos

Henk Hokke

Mark Janssen

M a r e t a k

1 waar is de bal?

toos is boos.
haar bal is weg.
al een poos.
de bal is wit met geel.

waar is de bal van toos?
op het dak?
in de hut?
of ... in het bos?

daar is mam.

'kom je, toos?
het is al laat.'

mam is weg.
en toos?
toos gaat het bos in.
ze wil haar bal.

2 daar is de bal!

wat is dat?
daar zit mus in de boom.
en daar ...
daar is haar bal!

'dag mus.
ik heet toos.
mag ik de bal?'

 'dag toos.
dat is geen bal.
loop maar naar mol.
mol weet wel waar je bal is.'

3 mol is dom

'dag mol.
ik ben toos.
weet je waar de bal is?'

'nee toos.
ik ben heel dom.
loop maar naar haas.'

4 van haas naar mees

'dag haas.
is dat een bal?
mag ik hem dan?'

'nee toos, wat dom van je.
dat is geen bal.
loop maar naar mees.
mees weet heel veel.'

mees zit op een tak.

'dag toos.
wil je je bal?
loop dan maar naar de maan.'

5 de maan
is een bal!

naar de maan?
maar ...
maar dat is geen maan.
dat is haar bal!

'neem de bal mee, toos.
ren maar naar mam.
het is al heel laat.'

6 dag maan

'toos, waar was je?
kom.
pap is er ook al.'

'dag mus, dag mol.
dag haas, dag mees.
en ...
dag maan!'